Guyi Guyi

Chih-Yuan Chen

thule

Un huevo rodaba

por el suelo.

Rodó entre los árboles.

Rodando cruzó el prado.

Rodó y rodó monte abajo.

Al final, rodando cayó en un nido de patos.

Mamá Pata no se dio cuenta.

(Estaba leyendo.)

Pronto los huevos empezaron a abrirse.

El primer patito que salió tenía unos lunares azules.

Mamá Pata lo llamó «Lápiz de Color».

El segundo patito tenía rayas marrones.

«Cebra», decidió llamarlo Mamá Pata.

El tercer patito era amarillo, y Mamá Pata

lo llamó «Luz de Luna».

Un patito bastante extraño salió del cuarto
huevo.

—Guyi, guyi —dijo, y desde entonces ése
fue su nombre.

Mamá Pata enseñó a sus cuatro patitos a nadar,
a bucear y a andar bamboleándose como los patos.

Guyi Guyi siempre aprendía
antes que los demás.
También era el más grande
y el más fuerte.

Pero fueran lo rápidos que fueran,
o tuvieran el aspecto que tuvieran,
Mamá Pata los quería a todos
por igual.

Entonces, un día terrible, tres cocodrilos salieron del lago. Se parecían muchísimo a Guyi Guyi.

Los cocodrilos se sonreían y, cuando reían a carcajadas, abriendo de par en par sus fauces, todos podían ver sus enormes y puntiagudos dientes.

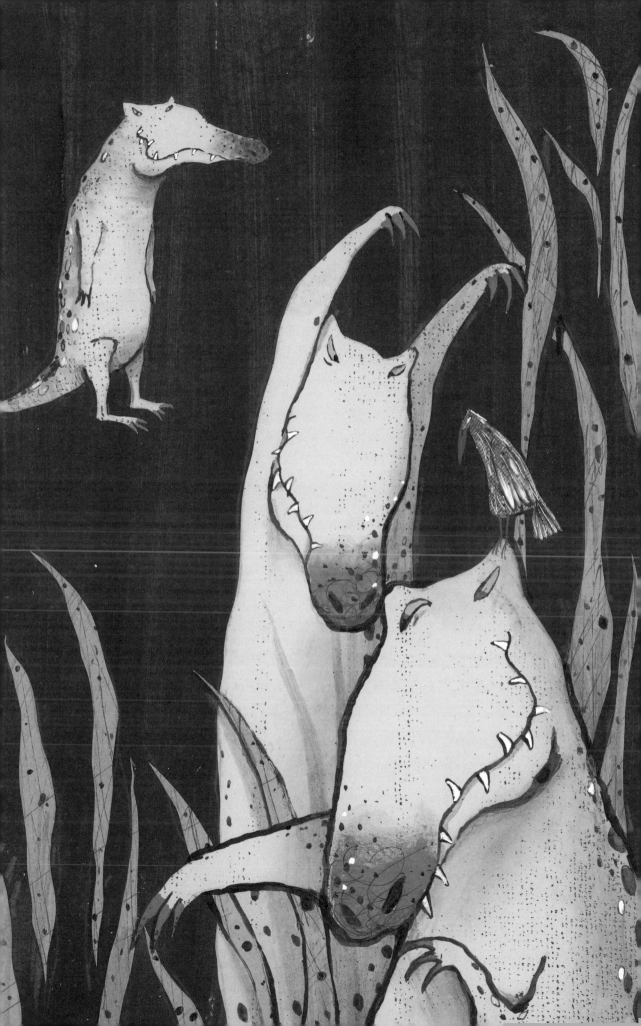

Los tres cocodrilos vieron a Guyi Guyi
y sonrieron todavía más.

—Mira qué cocodrilo tan ridículo.
¡Anda igual que un pato!

Guyi Guyi los oyó.

—No ando como un pato, ¡soy un pato! —les explicó.

Los cocodrilos se rieron.

—¡Mírate! ¡Si no tienes plumas, ni pico, ni patas palmeadas!
Lo que tienes es una piel gris azulada, garras afiladas,
dientes puntiagudos y el olor de un cocodrilo malo.
Eres igual que nosotros.

El primer cocodrilo dijo:

—Con tu cuerpo gris azulado puedes
esconderte bajo el agua sin que te vean,
así puedes acercarte a los rollizos patos,
tan deliciosos.

El segundo cocodrilo dijo:

—Las grandes y afiladas garras te ayudan
a sujetar con fuerza a los patos rollizos
y deliciosos, para que no puedan escapar.

El tercer cocodrilo dijo:

—Los dientes puntiagudos los necesitas
para masticar los patos rollizos y deliciosos.
¡Mmmm! ¡Ñam, ñam!

Los tres cocodrilos sonrieron enseñando
los dientes.

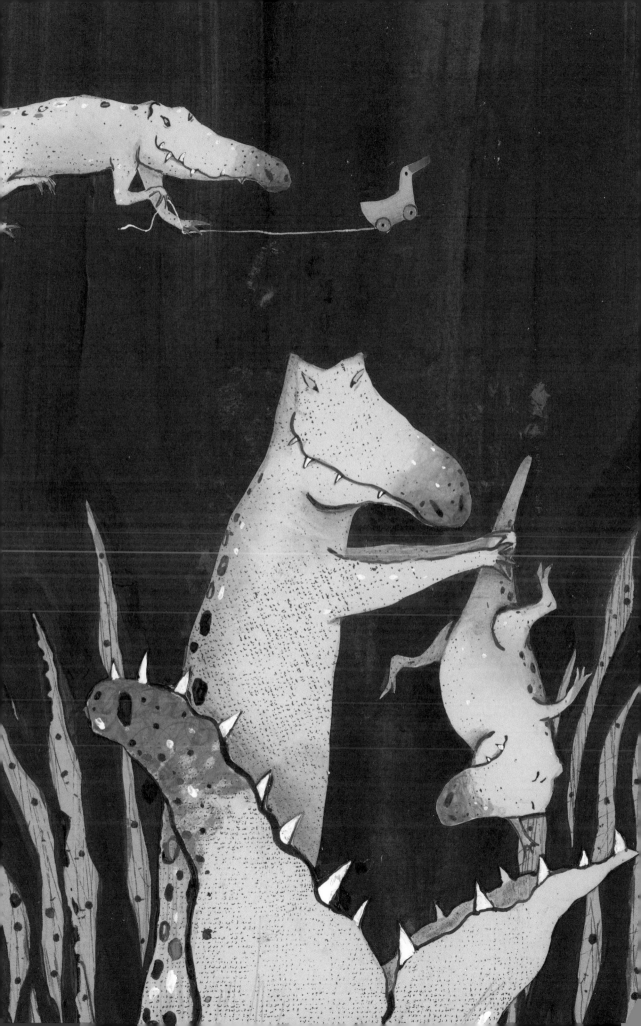

—Sabemos que vives con los patos.

Haz que mañana vayan al puente y se lancen al agua.

Les esperaremos con las bocas abiertas.

—¿Por qué iba a hacerlo? —preguntó Guyi Guyi—.

¿Por qué tendría que obedecer?

—Porque todos somos cocodrilos, y los cocodrilos

nos ayudamos.

Los cocodrilos malos

volvieron a sonreír

enseñando los dientes

y desaparecieron entre la maleza.

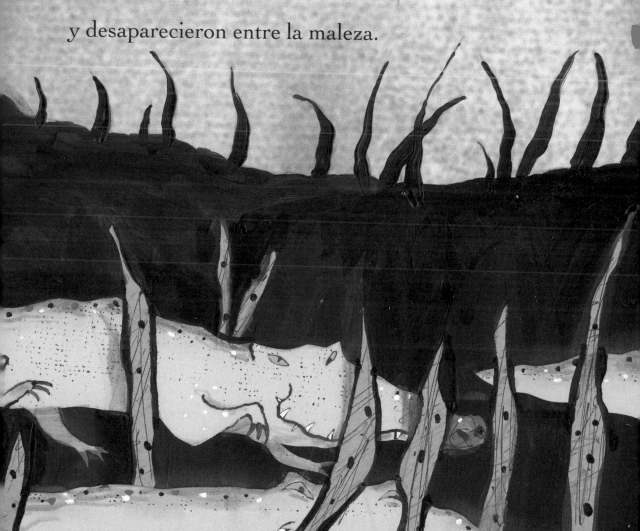

Guyi Guyi se sentía fatal.

Se sentó junto al lago para pensar.

—¿Será verdad? ¿Yo también

soy un cocodrilo malo?

Se miró en el lago y puso

una cara feroz.

A Guyi Guyi le entró
la risa. Se veía ridículo.
—No soy un cocodrilo
malo. Desde luego,
tampoco soy exacta-
mente un pato.

—Pero los tres cocodrilos son unos asquerosos, y quieren comerse a mi familia. Tengo que pensar en cómo detenerlos. Guyi Guyi pensó y pensó hasta que al final se le ocurrió una buena idea. Se fue a casa feliz y contento.

Aquella noche, los tres cocodrilos
malos afilaron sus puntiagudos
dientes mientras pensaban todo
el rato en rollizos y deliciosos patos.
Estaban preparados para el banquete.

Al día siguiente, Guyi Guyi hizo lo que le habían dicho:
llevó la bandada de patos hacia el puente para bucear.

Los tres cocodrilos malos esperaban
a los patos bajo el puente.

Pero no fueron rollizos y deliciosos patos
lo que cayó desde el puente, sino tres
enormes y duras piedras.

Los cocodrilos mordieron. «¡Crec, crec,
crec!», hicieron sus afilados dientes.

Los tres cocodrilos malos salieron corriendo
y ¡desaparecieron en menos de un minuto!

¡Guyi Guyi había salvado a los patos!
¡Guyi Guyi era el héroe del día!

Por la noche, todos los patos
lo festejaron bailando.

Guyi Guyi siguió viviendo
con Mamá Pata, Lápiz de Color,
Cebra y Luz de Luna,
y fue convirtiéndose
en un «cocopato» cada día
más fuerte y más feliz.

Guyi Guyi

Título original: *Guji-Guji*

Quinta edición: mayo de 2016

Publicado por primera vez en Taipéi, Taîwán, R.O.C. en 2003
por Hsin Yi Publications

© 2003 del texto e ilustraciones Chih-Yuan Chen
Todos los derechos reservados

© 2005 Thule Ediciones, S.L.
Alcalá de Guadaíra, 26, bajos - 08020 Barcelona
Traducción publicada por acuerdo con Hsin Yi Publications

Director de colección: José Díaz
Diseño y maquetación: Jennifer Carná
Traducción: Aloe Azid
Corrección: Jorge González

ISBN: 978-84-96473-13-3
D. L.: B-8449-2015
Impreso en Índice, Barcelona, España

www.thuleediciones.com

Chih-Yuan Chen

Nacido en Ping Tung (Taiwán, 1975), Chih-Yuan
Chen empezó a dedicarse a los álbumes ilustrados
en 1995 y publicó su primer libro en 2000.
Su tercer libro, **Guyi Guyi**, fue elegido *Publishers
Weekly Best Illustrated Book* en 2003 y en 2004
entró en el listado de *Best Sellers* del *New York Times*.
En sus ilustraciones le gusta mezclar técnicas
y materiales, como *collage*, carboncillo, acuarela,
entre otros, para dar vida a tonalidades a veces
suaves y a veces dramáticas.